RHIEN

Rhieni
Hanner Call

Brian Patten

Lluniau gan Arthur Robins

Addasiad Gwawr Maelor

Gomer

Argraffiad cyntaf – 2005

ISBN 1 84323 483 1

Cyhoeddwyd gyntaf ym Mhrydain gan
Walker Books Ltd., 87 Vauxhall Walk,
Llundain SE11 5HJ dan y teitl *Impossible Parents*

Dymuna'r cyhoeddwyr gydnabod cymorth
Adrannau Cyngor Llyfrau Cymru.

Cyhoeddwyd gyda chymorth ariannol
Awdurdod Cymwysterau Cwricwlwm ac Asesu Cymru.

Argraffwyd gan
Wasg Gomer, Llandysul, Ceredigion SA44 4JL

Cynnwys

Pennod 1

Dyma siaced bomyr
Wyn Norm.

Dyma drowsus combat Wyn.

A dyma dreinyrs Wyn.

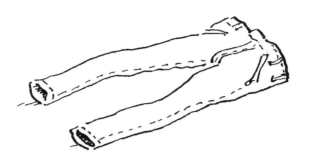

Dyma jîns ei chwaer,
Nia Norm.

A dyma'i bŵts hi.

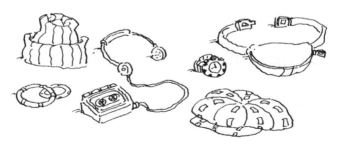

A dyma i chi rai o drugareddau
Wyn a Nia.

A phan maen nhw'n gwisgo'r
dillad a'r trugareddau i gyd,
maen nhw'n edrych yn hip!

Gwisgo'n hip ac yn cŵl mae
Wyn a Nia! Gwisgo'n hip er
mwyn i bawb ddweud 'Waw!
Am wahanol!' a gwisgo'n cŵl
er mwyn bod yr un fath â'u
ffrindiau yn yr ysgol!

Ond . . .

Ydych chi wedi gweld gwallt
mor wirion â hyn o'r blaen?
Gwallt fel cynffon llygoden fawr!

Hen gynffon hyll yn hongian
o ben eu tad o ydi o! Am olwg!
Am gywilydd! Am afiach! Dim
ond i chi roi plwc bach i'r
gynffon ac mi fydd yna ddigon
o ddandryff yn disgyn i lenwi
llond tun o bowdwr talc!

A beth am y clustdlws yna
yn ei dwll trwyn o?

Mae'n hollol ych a fi!

Tybed beth sy'n digwydd pan
mae o eisiau chwythu'i drwyn?
Ydy e'n gallu, tybed? Beth
petai'r trwyndlws yn dechrau
rhydu yng nghanol llond trwyn
o annwyd? YCH!

'Wyt ti'n trio edrych fel llygoden fawr neu rwbath?' cegodd Wyn ar ei dad.

'A theirw, nid tadau, sy'n gwisgo modrwyau gwirion yn eu trwynau!' meddai Nia. 'Mi fedr o wenwyno dy drwyn di nes y bydd o'n disgyn i ffwrdd!' rhybuddiodd.

Ac fel petai hynny ddim yn ddigon, roedd Dad yn mynnu gwisgo TRACSIWT drwchus, hen ffasiwn fel astronot hurt!

Ac i goroni'r
cwbl . . .
ar ben
y gwallt
cynffon
llygoden
fawr a'r
trwyndlws a'r tracsiwt hen ffasiwn
roedd Mr Norm wrth ei fodd yn
gwisgo cap pom-pom piwslyd a
fest-dyllau a'u hanner nhw wedi
rhwygo!

'Oes raid iti chwarae oxo yn
nhyllau dy fest?' meddai Wyn yn
flin. 'Fedra i ddim meddwl am neb
sy'n edrych yn waeth na ti, Dad!'

'O! mi fedra i!' meddai Nia.

A dyma hi! Ei mam yn un o'i hoff wisgoedd, sef teits-tyllau-diemwnt o'i chorun i'w sawdl! Ac os ydych chi'n meddwl fod y dillad yma'n wallgof i unrhyw fam, mae'n werth i chi ei gweld hi yn ei dillad gwaith! Ei dillad gwaith fel bola-ddawnswraig! Ond dydi'r stori ddim yn gorffen yn y fan yna. O! Nac ydi!

16

Roedd tad Wyn a Nia wrth ei fodd yn pigo'i drwyn ac yn fflicio ach-trwyn i daro pryfed! Roedd eu mam wedyn wrth ei bodd naill ai'n ymarfer bola-ddawnsio o flaen y ffenest, neu'n peintio ewinedd ei thraed.

A beth sydd o'i le ar hynny, medde chi? Wel, y drewdod! Roedd hyd yn oed y gath yn llewygu!

Pennod 2

Doedd Nia ddim yn hoffi Alys
Oges. Arni hi oedd y bai bod yr
holl blant wedi dechrau canu
clodydd eu rhieni.

'Fy mami i sy'n gyfrifol am gadw
dillad y Frenhines yn
deidi a threndi!
Hi sy'n gofalu am
holl ddillad y teulu
brenhinol!' meddai
Alys Oges un amser chwarae.

'Peilot ydi fy nhad i!' meddai
Ryan Ericsson.

'Mae fy mam i yn bwysig,
bwysig; roedd hi'n
arfer bod yn frên-
feddyg,' broliodd
Sian Penri.

'Ac mae Mam yn gantores
opera!' cyhoeddodd
Blodwen Boccelli.

Bu bron i Nia ddweud y gwir i gyd a dweud mai bola-ddawnsio oedd gwaith ei mam hi.

O! mae'r Alys Oges 'na yn hen grimpan! meddyliai Nia.

Un diwrnod cyhoeddodd Miss Jones, yr athrawes ddosbarth, 'Peidiwch ag anghofio ei bod hi'n Bnawn Rhieni ddydd Gwener nesaf!'

'Fedra i ddim diodde meddwl y bydd yr hen Alys Oges a'i ffrindiau'n gweld Mam a Dad. Mi fyddan nhw'n siŵr o bigo arna i bob munud a dangos eu botymau bol imi drwy'r adeg am fod Mam yn bola-ddawnsio!' cwynodd Nia ar ei ffordd adref.

Teimlai Wyn yn union
yr un fath. Beth ddaeth
dros ei ben yn dweud mai
dyn tân oedd ei dad?
Faint o ddynion tân oedd
yn gwisgo cap pom-pom
piwslyd; fest tyllau a modrwy
yn eu trwyn?

A beth petai ei dad
yn digwydd fflicio un
o'i ach-trwyn ar
Miss Jones?!
Ac yna'n
defnyddio'r UN
BYS YN UNION i
bigo bwyd rhwng
ei ddannedd!

Roedd Wyn a Nia mewn twll. Byddai Miss Jones yn ffugio bod yn neis-neis a pharchus gyda'u rhieni ac yn cau ei llygaid ar eu harferion sglyfaethus. Ond beth fyddai'n gwibio trwy ei meddwl go iawn, tybed?

Mae'n RHAID bod rhywbeth y gallwn ei wneud i rwystro'r rhieni hanner call yma rhag gwybod dim am y Pnawn Rhieni, meddyliodd Wyn a Nia.

Mae'n syml. Ddwedwn ni ddim wrthyn nhw.

Iawn. Cadwn ni y Pnawn Rhieni'n gyfrinach.

Ond roedd eu rhieni'n gwybod popeth am y Pnawn Rhieni'n barod! Roedd pob rhiant wedi derbyn llythyr gwahoddiad gan Miss Jones.

Pennod 3

Daeth Wyn a Nia at ei gilydd
y noson honno i drafod.
Taclo Dad oedd y broblem
gyntaf.

Am hanner nos, tra oedd Mr
a Mrs Norm yn chwyrnu'n braf,
sleifiodd Wyn a Nia i lofft eu
rhieni.

Roedd siswrn miniog yn nwylo Nia. Snip sydyn, a disgynnodd cynffon llygoden fawr sglyfaethus ei thad ar gledr ei llaw.

Siswrn ewinedd traed ei fam oedd gan Wyn yn ei law. Cydiad sydyn, a disgynnodd y fodrwy o dwll trwyn ei dad.

Yna, llwyddodd y ddau
i ddwyn y tracsiwt hen ffasiwn
o'r cwpwrdd a'i daflu i'r bin
sbwriel.

Dyna ddigon o waith am un
noson!

Drannoeth, amser brecwast,
eisteddai Mr Norm fel brenin yn
y gegin. Roedd Mrs Norm wrthi'n
ddiwyd yn rhoi tatŵ ar ei ben
moel. Roedd ganddi un nodwydd
mewn inc du ac
un arall mewn
inc coch.
Roedd hi
wrthi'n
brysur yn
gwneud
tatŵ gwe
pry cop du,
a chorryn
mawr coch
ar ei ben moel!

31

'Goeliwch chi byth, blant! Dw i wedi colli fy ngwallt dros nos! Felly penderfynais eillio'r fflwff i gyd a rhoi tatŵ smart yn ei le, yntê!' meddai Mr Norm gan bigo'i drwyn a fflicio'r ach trwy'r awyr.

'W! ww! dwi'n cael gwneud tatŵ!' cynhyrfodd Mrs Norm. Roedd Wyn a Nia bron â thorri'u calonnau.

'O! be wnawn ni?' ebychodd
Wyn a Nia. Doedd dim ond
ychydig o ddyddiau tan y Pnawn
Rhieni felltith! Trychineb! Pam
fod ganddyn nhw rieni hanner
call fel y rhain?

Doedd neb yn edrych ymlaen at y Pnawn Rhieni yn yr ysgol. Roedd golwg braidd yn bryderus ar bawb, hyd yn oed ar Alys Oges. Ond arni hi oedd y bai bod pawb wedi dechrau canu clodydd eu rhieni.

Dwi ddim yn meddwl bydd Mam yn gallu dod i'r Pnawn Rhieni wedi'r cwbl!

Dwi'n gobeithio . . . dwi'n meddwl fod Mam a Dad i ffwrdd yn rhywle.

'O! dwi'n edrych ymlaen at weld dy dad di!' meddai Ryan Ericsson. 'Dyn tân go iawn! Waw!'

Gwridodd Wyn. Aeth yn boeth drosto. Pam ddwedodd o glamp o gelwydd fel yna? Bu bron i Nia ddechrau crio dros y lle. Ar Alys Oges Foches oedd y bai i gyd yn dechrau pawb i frolio am eu rhieni.

Sôn am gywilydd pan fyddai pawb yn dod i wybod mai dawnsio-bola ac nid dawnsio-bale oedd gwaith ei mam! Doedd dim ond diwrnod tan y Pnawn Rhieni!

Pennod 3½

Y noson honno sleifiodd Wyn a
Nia i lofft eu rhieni unwaith eto.
Roedden nhw'n benderfynol o
guddio wìg las ddisglair eu
mam a'i belt croen neidr a'i
sgidiau dawnsio croen crocodeil
tu ôl i'r wardrob o'r golwg.

Wedyn, roedd rhaid chwilio
am ei theits-tyllau-diemwnt a'i
gwisg dawnsio-bola a'u taflu
i fag sbwriel du. Aeth cap
pom-pom piwslyd eu tad a'i
fest-dyllau blêr i'r bag hefyd.
Cariodd y
ddau y
bag yn
ofalus i
lawr y
grisiau
a'i
daflu
i'r bin
sbwriel
tu allan.

37

Pennod 4

Amser brecwast drannoeth
roedd golygfa ryfedd yn disgwyl
y ddau. Roedd Mr a Mrs Norm
wedi'u lapio mewn tywelion ac
yn siarad gyda phlismon!

'Be wna i? Fydd gen i ddim byd i'w wisgo ar gyfer y Pnawn Rhieni heddiw!' llefodd Mrs Norm dros y tŷ.

'A-ha! Pnawn Rhieni ddwedsoch chi? Dyna ddechrau egluro pethau!' atebodd y plismon yn feddylgar.

'A wyddoch chi ddim byd am hyn o gwbl, blant?' holodd y plismon. Gwridodd y ddau a diferodd y chwys i lawr eu cefnau.

'Mae 'na bethau go od yn digwydd o gwmpas y lle cyn Prynhawniau Rhieni, wyddoch chi. Ac os gwela i wìg las ddisglair, trwyndlws a gwisg bola-ddawnsio, mi gysylltaf ar fy union!' meddai'r plismon wrth ddodi ei lyfr nodiadau i gadw.

Yn ddistaw bach roedd Wyn
a Nia yn eithaf bodlon eu byd.
Doedd dim ar ôl i'w wisgo gan
eu tad na'u mam. Go brin y
bydden nhw'n cyrraedd y
Pnawn Rhieni mewn tywelion!
Aeth y ddau i'r ysgol dan ganu.

Dim ots gen i
cyn *belled* nad ydi'r
hen Alys Oges
yna'n gweld Mam
yn un o'i gwisgoedd
gwirion, hanner call!

Be mae o'n
ei wneud?

Wrth ymyl tŷ Siân Penri,
gwelodd Wyn a Nia y plismon
yn edrych mewn bin sbwriel
arall.

Pennod 5

Yn yr ysgol edrychai pawb yn
hapus iawn eu byd unwaith
eto. Tra gwahanol i'r diwrnod
pan soniodd Miss Jones am y
Pnawn Rhieni.

A dweud y gwir, roedd golwg rhy fodlon ar bawb. Tybed oedden nhw hefyd wedi ceisio rhwystro'u rhieni rhag dod i'r Pnawn pwysig fel Wyn a hithau, meddyliodd Nia wrthi'i hun. Go brin chwaith! Go brin fod gan neb arall rieni hanner call a gwallgof fel nhw!

'Distawrwydd!' gwaeddodd Miss Jones. 'Mae'n rhaid i bawb ymddwyn yn gall yn ystod y Pnawn Rhieni heddiw, deall?'

'Fyddan nhw ddim yn hir nawr!' meddai gan edrych ar ei horiawr. Roedd fel petai hi'n gallu darllen meddyliau pob un o'r plant. Oedd, roedd hi wedi hen arfer cynnal prynhawniau rhieni.

Edrychodd y plant drwy'r ffenestri.

Agorodd y drws led y pen
a daeth mam Alys Oges i mewn
yn ei dillad gwaith. Roedd hi'n
gwisgo cap a ffedog londrét y
dref! Cadw dillad y Frenhines
yn deidi a threndi, wir! Roedd
Alys Oges wedi dweud celwydd!

A doedd mam Blodwen
Boccelli ddim yn gantores opera
chwaith! Celwydd eto!

A wyddoch chi beth? Gyrrwr
lorri bysgod, nid peilot, oedd tad
Ryan Ericsson. Roedd yn
gwynto o bysgod drosto!

Daeth rhieni pawb i'r
dosbarth, un ar ôl y llall.

Roedd pawb yn meddwl bod rhieni eu ffrindiau'n wych a chyfeillgar a chŵl! Pawb ond eu rhieni nhw'u hunain!

Yna'n olaf, dawnsiodd Mr a Mrs Norm i'r dosbarth. Roedden nhw wedi dod o hyd i'r dillad yn y bin sbwriel! Gwisgai Mrs Norm ei gwisg bola-ddawnsio ac roedd pawb yn meddwl mai hi oedd y fam fwyaf anhygoel yn y byd!

Roedd Miss Jones wedi
gwirioni'n lân. Ei huchelgais
oedd cael bola-ddawnsio. Felly,
rhoddodd Mrs Norm wers
bola-ddawnsio iddi ar ben
y ddesg!

Roedd Miss Jones yn
wirioneddol dda! 'Dwi'n rhoi'r
gorau i ddysgu plant am byth;
dwi am fod yn fola-ddawnswraig
o hyn ymlaen!' meddai'n
benderfynol. 'Parti amdani!'

A DYNA I CHI BARTI . . .

Dyna'r Pnawn Rhieni gorau
a fu erioed!

Hefyd yn y gyfres:

Cysylltwch â Gwasg Gomer i dderbyn pecyn o syniadau dysgu yn rhad ac am ddim.